¿QUIÉNES LEEN LOS EXCITANTES LIBROS DEL MUNDO?

A todo el mundo le encantan los libros de ELIGE TU PROPIA AVENTURA porque son historias que tú mismo construyes. Cada libro te brinda la posibilidad de elegir qué aventura quieres vivir. Por lo tanto depende de tu elección lo que te suceda.

Busca en la librería de tu barrio los otros títulos de ELIGE TU PROPIA AVENTURA.

TÍTULOS APARECIDOS

(Marca con una cruz los títulos que ya leíste para saber qué aventura te queda por vivir)

VIAJE POR LAS GALAXIAS

R. A. MONTGOMERY

ILUSTRACIONES DE: PAUL GRANGER

TRADUCCIÓN DE:
D.M.U. DE GOMEZ BAS

UNDECIMA EDICION

EDITORIAL ATLÁNTIDA   BUENOS AIRES

Título original: SPACE AND BEYOND
Copyright © 1979 by Bantam A. Montgomery, Jr.
Ilustrations copyright © 1979 by Bantam Books, Inc.
Published by arrangement with Bantam Books, Inc. New York.
CHOOSE YOUR OWN ADVENTURE ® es marca
registrada de Bantam Books, Inc.
Derechos reservados. Undécima edición publicada por
EDITORIAL ATLANTIDA S.A., Florida 643, Buenos
Aires, Argentina. Hecho el depósito que marca la ley 11.723.
Printed in Argentina. Esta edición se terminó
de imprimir el 22 de noviembre de 1989
en los talleres gráficos de Editorial Atlántida
en Escobar, Buenos Aires, Argentina.

I.S.B.N. 950-08-0221-X

Dedicado a
ANSON Y RAMSEY

¡¡¡ADVERTENCIA!!!

¡No leas este libro directamente desde el principio hasta el fin! Estas páginas contienen muchas diferentes aventuras que puedes tener mientras viajas por el espacio. De tanto en tanto, a medida que vayas leyendo, se te pedirá que hagas una elección. ¡Tu elección te puede conducir al éxito o al desastre!

Las aventuras que te ocurran son el resultado de tu elección. ¡Tú eres el responsable porque tú elegiste! Luego de hacer tu elección sigue las instrucciones para ver qué te sucede después.

¡Recuerda... no puedes volver atrás! Piensa cuidadosamente antes de hacer una movida. ¡Un error puede ser tu último error... y tu acierto te puede conducir a la fama y a la fortuna!

Naces en una nave espacial que viaja entre galaxias para explorar el cosmos. La tripulación está compuesta por personas de cinco galaxias diferentes. Tus padres no son de la misma galaxia, pero tienen aspecto semejante a los que se encuentran en el planeta Tierra de la galaxia de la Vía Láctea.

Por haber nacido en el espacio puedes elegir la galaxia y el planeta al que quieras pertenecer.

Como la nave espacial viaja a gran velocidad, alcanzas la edad terrestre de 18 años en sólo tres días y dos horas. Ahora tienes que elegir entre el planeta *Phonon* de la galaxia de PINEUM y el planeta *Zermacroyd* de la galaxia de OOPHOSS.

Phonon es tres veces más grande que el planeta Tierra. La estrella que le suministra parte de su energía vital es grande pero antigua. Se teme que esté perdiendo fuerza. Phonon tiene una historia llena de problemas.

Zermacroyd está en la galaxia de OOPHOSS, bastante lejos de la Vía Láctea. Tiene agujeros negros y estrellas supernovas. Los observadores y tripulantes de aeronaves la han considerado siempre como una región poco segura. Es una zona difícil y las cavidades negras son peligrosas. Las informaciones de pruebas espaciales anteriores dicen que Zermacroyd ha tenido un oscuro y agitado pasado. Pero también profetizan un brillante futuro.

Si eliges Phonon como planeta nativo lee la página 2.

Si es Zermacroyd quien te atrae lee la página 3.

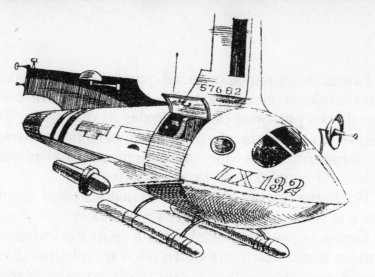

Phonon es visible en el explorador galáctico. Ahora que has hecho tu elección, tus padres te dicen que Phonon es la patria de tu papá. La tripulación de la nave espacial capitana prepara cuidadosamente un vehículo interplanetario para el viaje a Phonon. Te sientas ante los controles, pones en posición la trayectoria programada, te separas de la nave madre y te lanzas al espacio. Una vez en él te propulsan los generadores de gravedad.

¡Algo anda mal! Miras el explorador y ves una nebulosa que se supone no debe estar en tu camino. Súbitamente te envuelven gases y partículas de la nebulosa. Tus generadores de gravedad y sistemas protectores de vida pueden fallar. El contador de la radiación interrumpe el silencio del vuelo espacial con ásperos ruidos y crujidos de advertencia, avisando el peligro de los niveles radiactivos.

Puedes regresar a tu nave espacial madre.
Si eliges eso lee la pág. 4.

Si confías en tu instinto que te dice que
sigas adelante, lee la pág. 6.

¡Zermacroyd! ¡Vaya nombre! No puedes resistir la tentación de este planeta y su desconocido pasado. Cuando el capitán hace mención de su brillante futuro decides ir allí. Resulta ser la patria de tu madre. Ella te abraza, te desea suerte y te entrega un pequeño objeto brillante suspendido de una cadena.

—Tal vez esto te ayude alguna vez.

Cuando estás a punto de marcharte después de las últimas instrucciones, un joven miembro de la tripulación de vuelo sube y te dice:

—Déjeme ir con usted. Necesitará mi ayuda.

No lo conoces bien, pero siempre lo encontraste cordial y diligente. Por supuesto, le dices que puede viajar contigo. Se llama Mermah y su amplia sonrisa hace que te sientas contento de llevarlo.

El director de la investigación te previene acerca de Sun-Thee, una estrella gigantesca doce veces mayor que el sol de la Tierra. Sun-Thee está situada en tu trayectoria y su enorme poder de gravitación puede ser peligroso. Te pone también en guardia acerca de los agujeros negros y las supernovas. Te dice que si deseas aplazar tu partida y concurrir a la Academia del Espacio eso hará que tus posibilidades de éxito sean mayores.

Si aplazas tu partida para concurrir a la Academia del Espacio para recibir instrucción adicional, lee la pág. 7.

Si te marchas lee la pág. 8.

Es fácil regresar a la nave capitana. Enciendes el botón de navegación y pones en marcha atrás el conmutador. Pero justo en ese momento la luz toma un brillante color verdeamarillo de alarma y todos los sistemas se detienen. Frenético, aprietas de nuevo botones y botones, pero no sucede nada.

Tan súbitamente como llegó, el gas desaparece. Las luces de alarma se apagan, el panel de control parpadea con energía y los sistemas de control de la navegación vuelven a funcionar. La señal automática de S.O.S. se apaga y tú te sientas exhausto delante de los controles.

Si decides esperar que llegue alguien respondiendo a tu S.O.S. y después regresar a la nave capitana, lee la pág. 10.

Si decides continuar el viaje ahora que se ha desvanecido la arcana nebulosa, lee la pág. 11.

Una lluvia de pesados meteoros interfiere en tu complejo sistema de navegación. La interferencia es tan intensa que dejan de funcionar todos los sistemas de comunicación. Te mueves velozmente en el espacio mirando hacia afuera por las troneras, asombrado por la vista que se presenta a tus ojos. Pero tu nave comienza a caer dando vueltas y el mundo gira en una confusión de formas y colores.

Tu velocidad es tan grande que podrías pasar rápidamente entre los meteoros, quizá lo suficientemente rápido como para corregir los problemas de navegación. Pero por otra parte tal vez sea peligroso suponer que puedes confiar en la suerte para librarte de este aprieto. ¿No sería mejor y más seguro pedir auxilio por medio del láser?

Si esperas y crees pasar entre los meteoros lee la pág. 12.

Si decides pedir auxilio lee la pág. 14.

Titubeante, preguntas qué otra clase de instrucción recibirás. Hasta el momento has estudiado procedimientos de vuelo, navegación, idiomas, armas y planeamiento. Es una buena idea dar tanta instrucción como sea posible, pero le preguntas al director de investigaciones cómo podrás saber que has aprendido lo suficiente.

—El conocimiento está dentro de nosotros. Sólo tienes que comprender eso. Usa ahora un poco de tu tiempo. Y después vete.

—Muy bien, haré lo que usted me sugiere. ¿Cuánto tiempo me llevará?

—Puedes asistir a los cursos que da a bordo la Academia del Espacio, o puedes estudiar conmigo y explorar el conocimiento que hay dentro de ti.

Y diciendo esto se cruzó de brazos aguardando tu decisión.

Si decides estudiar en la Academia del Espacio lee la pág. 15.

Si eliges explorar el conocimiento que tienes en tu interior lee la pág. 16.

Quieres ponerte en camino. Aun cuando sabes que es ésta una decisión apresurada, tú y tu compañero Mermah suben a bordo de tu vehículo interplanetario. Inscribes tu nombre y el de Mermah en el panel de vuelo y se lanzan al espacio.

—Mermah, controla los estabilizadores.

—OK. Lo haré.

Justamente en ese momento te das cuenta, mirando la pantalla computadora, que tu trayectoria de vuelo se halla muy cerca de un agujero negro. El peligro radica en que una vez que te acercas a su campo de gravitación, no puedes ya huir.

Mermah te ayuda a controlar los aparatos de navegación. Consternado, te das cuenta de que has hecho los cálculos sobre la cifra 4800 en vez de hacerlos sobre 4008, que es lo que correspondía, y ahora su vuelo los lleva al interior del agujero negro.

Mermah te mira horrorizado mientras la nave continúa hacia el inmenso agujero negro. Las personas
que quedaron atrapadas en uno de ellos no regresa-
ron más.

---

*Si aceleras al máximo esperando poder escapar a
su campo de atracción y aterrizar en el agujero
negro, lee la pág. 18.*

Si aceleras al máximo esperando poder escapar a su campo de atracción y aterrizar en el agujero negro, lee la pág. 18.

*Si usas los escudos que rechazan la energía en un
intento de escapar a la atracción del agujero negro,
lee la pág. 19.*

Enviar un S.O.S. al espacio es algo arriesgado. No se puede saber quién acudirá. Aguardas esperanzado, pero también con cierto temor. Entonces ves eso. Primero es una manchita en la pantalla moviéndose oblicuamente. Después da un salto y queda enfocado. Parece una ameba, pero esto tiene luces y troneras. Súbitamente la nave espacial —o lo que sea— se detiene al lado de la tuya.

En el espacio los seres extraños no son raros. Tú eres extraño para esos seres que están en esa zangoloteante aeronave. ¿Qué harás? ¿Son hostiles o son formas de vida que no conocen ni la hostilidad ni la amistad?

No dispones de mucho tiempo. Tienes que elegir entre luchar y ahuyentarlos o seguirlos tranquila y pacíficamente. Ya están aquí. Es difícil decir si es uno solo o son muchos. Parecen estar todos mezclados.

*Si decides seguirlos voluntariamente
lee la pág. 20.*

Si decides luchar lee la pág. 22.

Tu indicador de energía ha cambiado del rojo, que indica plena energía, hasta un cuarto de nivel de luz azul verdosa. Los análisis de las computadoras te advierten que todos los sistemas protectores de la vida se detendrán dentro de tres horas y dieciséis minutos. Pero nadie ha contestado aún a tu S.O.S. Por medio de los registros de tu radar te enteras que aunque consigas ayuda ésta no te llegará probablemente antes de que fallen todos los sistemas protectores de la vida. Desesperado, deseas que hubiera alguien en la nave con quien compartir estos momentos, pero estás solo.

Has decidido usar la energía restante para dirigirte a una isla-luz que resplandece en un agujero negro. Estas cavidades del espacio están allí porque la masa de las estrellas es tan grande que nada puede escapar a su campo de gravedad... ni la luz, ni el calor, ni las ondas de radio. Sin embargo misteriosamente todo indica que la isla-luz —un fenómeno mencionado y registrado por un grupo de pilotos galácticos— está en ese agujero negro.

Tienes que ir. Puedes elegir entre dirigirte hacia la isla-luz en el interior de la cavidad o seguir a la deriva, impotente, aguardando la posibilidad de que te encuentre una nave de rescate.

Si eliges la isla-luz lee la pág. 23.

Si eliges seguir a la deriva lee la pág. 26.

¿Por qué esperar? Sientes que podrás cruzar a través de los meteoros. Aprietas el botón de avance, ajustas tus cinturones de seguridad y ¡adelante! La sacudida es fuerte.

Se oye un ruido sordo, como un chasquido. El vehículo sale precipitadamente de la lluvia de meteoros y entra en una zona de tránsito.

La zona de tránsito es un ancho espacio destinado al transporte comercial. Una asombrosa variedad de naves espaciales están siguiendo los diferentes caminos marcados por los rayos láser.

Una aeronave que patrulla la zona de tránsito se acerca a ti y te hace señas de que la sigas. Al llegar a la estación de la patrulla te informan que hay una caravana del espacio que puede detenerse en Phonon.

Tal vez puedas unirte a ella. No hay seguridad de la **13** fecha en que llegará a Phonon, si llega. También hay un grupo de actores del espacio muy interesante, que viaja por donde se le ocurre. Puedes unirte a ellos, si lo deseas. Los artistas también pueden detenerse en Phonon, pero no es seguro.

Si te unes a la caravana lee la pág. 27.

Si te unes a los actores de variedades
lee la pág. 24.

La situación es demasiado peligrosa. Probablemente va a resultar embarazoso pedir ayuda tan pronto después de haber partido. Observas las palmas de tus manos y ves gotas de transpiración en ellas y una inusual palidez. No hay duda, estás asustado... con justa razón. ¿Quién no lo estaría?

—Vehículo espacial, misión transgaláctica al planeta Phonon, interrumpida por lluvia de meteoros. Aparatos ahora tres cuartos ineficaces. Repito, Coordenada Z2380, F9212, X2922. Zona Exterior 21. Solicito ayuda inmediata. Repito, solicito ayuda inmediata.

Tu voz suena débil, apagada. Estás tan solo.

Si pruebas el elevador de potencia del motor para que aumente tu poder para moverte hacia adelante en dirección de una débil señal de radio, lee la pág. 28.

Si usas la energía restante para aumentar tu transmisión radial lee la pág. 29.

La escuela puede ser aburrida, pero por otra parte **15** es justamente lo que se necesita para volar. Esa nave para investigación del espacio es muy grande y muy avanzada, pero no podías creer que también estuviera en ella una división de la Academia del Espacio. Durante tu entrevista con el director de la Academia, él te dijo:

—Tú eliges. O ir a la Escuela de Comando y convertirte en el capitán de una nave, o ir más allá y dedicarte a la investigación. Te hemos dado personalidad e inteligencia, y tú te has clasificado muy alto. Creemos que puedes llegar al máximo en cualquier categoría. Bien, ¿qué eliges?

Si eliges la Escuela de Comando lee la pág. 30.

Si eliges la investigación lee la pág. 32.

16   El nombre del director de investigaciones es Pherantz. Te dice que hay una infinidad de conocimientos almacenados en el interior de todas las cosas vivientes que provienen de innumerables experiencias pasadas. Te preguntas si en realidad puedes evocar las experiencias de vidas anteriores. ¿Hay destellos de memoria encerrados en tus células? ¿Son los sueños que tienes de sitios donde nunca estuviste, de cosas que nunca has hecho, de gente que no conoces, en realidad recuerdos de una vida anterior que bullen dentro de ti buscando un camino para salir? Tal vez los sueños son algo real. Te invade una sensación de calma al filosofar.

—Recuerda, amigo, cualquier viaje al espacio nos perfecciona un poco. Terminamos donde empezamos. ¡Las líneas paralelas se cruzan! El tiempo no es una realidad. Trata de hacer del pasado el presente.

Te sientes incómodo con esos pensamientos tan profundos, especialmente cuando te habla de las líneas paralelas que se cruzan en el espacio. De cualquier modo, ¿qué significa lo infinito?

—Podemos hacer experiencias con el pasado —es el filósofo que habla de nuevo—. El pasado no se ha perdido. Sólo ha cambiado.

Pasas días evocando experiencias pretéritas. Es como estar con una gran máquina de sueños.

—Lo estás haciendo bien. ¿Te gustaría efectuar una prueba?

—¿Qué quiere decir? —preguntas.

—Ahora puedes viajar al tiempo pasado, o bien a la edad de los dinosaurios, hace 125 millones de años terrestres, o bien puedes ir a un pretérito desconocido.

Si eliges regresar al pasado, a la edad de los dinosaurios, hace 125 millones de años, lee la pág. 33.

Si estás dispuesto a aventurarte y regresar hasta un pasado desconocido lee la pág. 35.

No se tuvo nunca más noticia de ti ni de Mermah...

FIN

—¡No te entregues! Hay que probar todo. ¡Rápido! Levanta los escudos que rechazan la energía.

Es Mermah quien habla. Es dos años mayor que tú y ha viajado mucho por el espacio.

—¿Qué crees que nos pasará, Mermah?

—No se puede saber —contesta.

Con una sacudida la nave quedó atrapada por el campo de gravedad, y ustedes dos se encuentran en un túnel aparentemente vacío. Un agujero negro puede parecer negro a los ojos de un observador de afuera porque ni la luz puede escapar a su campo de gravedad, pero toda la luz y la energía están contenidas dentro de ese espacio. El túnel está brillantemente iluminado, mas, cosa extraña, la intensa luz no les molesta a los ojos.

Están en una enorme sala. No, no es una sala, es en realidad el interior del agujero negro. Es un prisma gigantesco de millares de kilómetros de extensión. Es un mundo en sí mismo. Ya no tienen miedo, y tú y Mermah abandonan su nave para empezar a vivir en un nuevo mundo.

El nuevo mundo es pacífico y la gente, amistosa, les dispensa una buena acogida. Nadie tiene prisa y es agradable trabajar. Hay comida y alojamiento para todos. Es un mundo bueno.

FIN

No sabes qué son esas criaturas y te haces cargo de que tus armas pueden resultar ineficaces. Te parece más razonable tratarlas de una manera pacífica. Ellos, o eso, aparecen súbitamente dentro de tu nave. Habías oído decir que la energía pura pasa a través de la materia sólida y vuelve luego a tomar su forma original. Lo llaman desmaterialización. Pero esto te tomó de sorpresa.

El equipo de una nave tiene un aparato para traducir el lenguaje del pensamiento a fin de establecer contacto entre las diferentes formas vivientes lo más fácilmente posible. En un momento parece haber centenares de esos extraños seres a tu alrededor, después hay sólo uno.

El botón del aparato está al lado de tu mano y lo aprietas inmediatamente, diciendo:

—Bienvenidos a mi nave. Voy en misión a mi planeta. Soy pacífico.

Los extraños seres no contestan. No hacen ruido, pero de repente se funden todos en una masa de aspecto gelatinoso que te envuelve. Tratas de liberarte, pero es inútil. Estás atrapado en algo que parece una ciénaga viscosa.

De la ciénaga emerge un sonido que parece una combinación de sonidos electrónicos y gritos de un pájaro. Sientes una liviandad que no habías experimentado nunca y en contados segundos eres desmaterializado y transportado a la zangoloteante y amorfa nave espacial que conduce a tus captores.

Examinando la sustancia de que está hecha la nave de ellos, crees que podrías pasar a través de ella y huir. Todo lo que tienes que hacer es descubrir dónde está la entrada a la tuya, cruzarla y tomar las armas que tienes almacenadas a bordo. Es una débil posibilidad, pero la única.

Si tratas de escapar lee la pág. 38.

Si te vas con ellos sin resistirte lee la pág. 36.

22 Los extraños seres se mueven en dirección de tu nave. Súbitamente aparecen más de los que puedes contar, todos de diferente forma y tamaño. Invaden tu nave y parecen fundirse sobre los tableros de control. Las comunicaciones y los sistemas de navegación parece que han dejado de funcionar. No hay elección. Tienes que luchar por tu vida.

Estiras el brazo para conectar la energía de emergencia. Justamente cuando efectúas eso los extraños seres te rodean confundidos en una gran forma que se mueve a saltos. Con mucha dificultad puedes desprenderte de esa masa viscosa que te aprisiona. Tienes una pistola láser en tu mano. Apuntas al centro de ese conjunto informe y aprietas el gatillo. Ves que la masa se seca, toma brillantes colores, echa humo, se estremece y luego se regenera. Continúas haciendo fuego.

El aire se llena de sonidos no oídos nunca por seres humanos. No es música pero hay cierta belleza en ellos. Sin que lo advirtieras los rayos láser han dado también en el tablero de comando y lo han destruido en su mayor parte. Continúas haciendo fuego. La masa se consume y desaparece. Has vencido.

Pero... ¡qué amarga victoria! Ahora te das cuenta de que tu nave está destruida. Flotas en el espacio esperando que alguien te rescate.

Para conseguir otra oportunidad olvídate de Phonon. Prueba con Zermacroyd. Lee la pág. 3.

Con la energía que queda impulsas a la nave hacia el agujero negro. A medida que te acercas ocurren las cosas más extrañas. Primero, todos los diales del tablero de comando se invierten y retroceden a cero. Después, tu cabello se levanta, rígido como alambre. Todas las luces de tus sistemas salen en un haz que se dirige a la cavidad negra. Sientes que toda tu sangre corre precipitadamente por tus manos y tus pies y se apodera de ti un espantoso aturdimiento.

Desde una de las troneras ves una palpitante masa aterciopelada tan grande como el cielo, o por lo menos lo parece.

Una voz aguda, penetrante, gime:

—Vete antes de que sea demasiado tarde. Vete ahora.

No tienes la menor idea de dónde proviene este aviso. Tal vez aún puedas volver atrás. Quizá no sea demasiado tarde. Quizá hay bastante energía de reserva como para escapar al campo de gravedad del agujero negro.

La advertencia no se repite y tú estás dudoso sobre qué hacer.

Si continúas lee la pág. 39.

Si tratas de cambiar la dirección lee la pág. 41.

24 Lo decides rápidamente. Un circo del espacio semeja una locura, pero la idea de recorrer galaxias buscando tu planeta patrio también lo parece. Te presentan al jefe, Ooxog, que puede describirse como un terrestre normal, de barba roja, el cuerpo de un gigante y una risa y calidez que lo hacen a uno sentirse como en su casa.

—¡Bienvenido! Necesitamos algo nuevo. Bienvenido al más gran espectáculo del universo.

—Pero... ¿qué puedo hacer?

—No te preocupes, amigo. Ya te encontraremos trabajo. ¡Eso no es problema!

De modo que te unes a ese grupo de seres, algunos parecidos a los terrestres, otros que no se asemejan a nadie que hayas visto antes. El conjunto de estas singulares naves espaciales se mueve rápidamente en el espacio, deteniéndose en algún planeta o estación espacial conveniente, o simplemente desplazándose a la deriva sin rumbo ni meta.

Tu trabajo consiste en amaestrar grandes partículas de energía y también partículas elementales, enseñándoles a realizar trucos.

Nunca llegaste a Phonon, pero tampoco te importó mucho.

FIN

26 No esperas encontrar agujeros negros en tu viaje a Phonon. No se te ha dado preparación para este tipo de problema. En verdad eres brillante y creativo, pero enfrentar este enigma es demasiado para ti. No puedes arriesgar a aproximarte a uno de ellos.

Te desplazas en el espacio en una órbita que va más allá del alcance de un agujero. Contemplando tus instrumentos, totalmente solo y desesperado, te das cuenta de que el tiempo se ha detenido. Todos los equipos trabajan, pero no registran el tiempo. Entonces comprendes. El tiempo no existe en ese vacío. Ni en el espacio. Ni en *ti*.

FIN

¡Una caravana del espacio! ¿Qué puede haber más excitante que vagar por el universo, yendo adonde la casualidad te lleve? La jefa de la caravana del espacio es una hermosa noomaniana, por lo menos según los cánones de belleza noomanianos. Te comunicas con ella por medio del aparato de traducción del lenguaje.

Su nombre es Eus y te explica que su grupo vende artículos exóticos. Nunca saben dónde van. Sólo hacen una parada cada vez. Por ejemplo, Eus te informa que ahora están en camino al planeta Tierra con una consignación de polvo de agujeros negros. Los terrestres creen que es un remedio mágico para lograr una juventud eterna. Eus ríe al decir esto y comenta:

—Terrestres tontos, siempre quieren lo que no pueden alcanzar y lo que realmente carece de importancia...

Cuando llegas a la Tierra quedas fascinado por esa extraña civilización con sus altos y feos edificios, con su gente que te parece semejante a ti, pero que corre, corre, corre y compra, compra, compra... ¡Qué sitio más singular!

Si decides quedarte en la Tierra lee la pág. 42.

Si decides marcharte lee la pág. 43.

28 De pronto te arrastra un tractor hasta el interior de la bahía receptora de una gigantesca estación móvil de investigaciones RS-3, UGB. Está bajo el comando del Cuerpo Gobernante del Universo y todos a bordo te reciben cordialmente. Te informan que se hallan en camino al planeta Axle. Van en una misión de misericordia porque dicho planeta está atacado por una extraña enfermedad para la que los axlianos no conocen cura. La estación de investigación puede infectarse también, pero ése es un riesgo que los científicos y doctores que viajan a bordo están dispuestos a correr.

Si decides ir a Axle con ellos lee la pág. 44.

Si eliges continuar tu viaje a Phonon lee la pág. 45.

Tu pedido de auxilio por radio interfiere con un campo de fuerza adverso, que amplifica tu señal y te la devuelve. Tu vehículo espacial recibe el choque de la onda de tu propia energía amplificada y explota.

FIN

30 Te impresiona pensar que puedes ser el jefe de una misión espacial. Te inscribes en la Academia. Mermah decide hacer lo mismo. La idea de ir a Phonon o a Zermacroyd te ha abandonado porque los estudios te interesan cada día más. Tus padres se sienten orgullosos de ti, y después de la graduación tú y Mermah son asignados a un nuevo y diferente vehículo espacial diseñado para realizar pruebas en las remotas e inexploradas regiones del espacio intergaláctico.

Después de despedirse de sus amigos y de su familia, tú y Mermah entran en la nueva nave para efectuar pruebas en regiones desconocidas durante doce años.

FIN

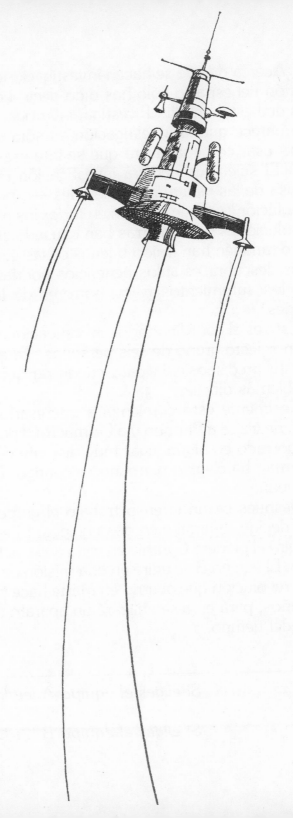

¿Acerca de qué se hacen investigaciones? En la estación del espacio sólo has oído decir a cada uno de los que estaban allí: "Investiga, investiga, investiga..." Te parece que la investigación es sólo otra palabra para usar con cualquiera que se interese en ti.

—El sujeto de nuestra investigación resulta ser la causa de las violentas inquietudes —específicamente revoluciones— que ocurren en *todos* los planetas. Las revoluciones y las guerras han causado sufrimientos, pero también han traído buenas cosas. Lo que queremos descubrir es si los beneficios podrían obtenerse sin los sufrimientos y los horrores de las sublevaciones.

Éste es el coordinador de investigaciones hablando a un selecto grupo de seis personas. Te eligieron a ti por tu predisposición para encontrar solución a los problemas difíciles.

Realmente esto comienza a interesarte. Tu intención de viajar a Phonon y a Zermacroyd parece haberse borrado en algún lugar muy distante de tu mente. Mermah ha elegido permanecer contigo. Es un buen compañero.

Después de un intenso trabajo el grupo investigador decide separarse en dos equipos. El equipo A se dirigirá al planeta Cynthia en vista de su actual revolución. El equipo B se unirá en una misión de sondeo de una revolución que ocurrió en Marte hace 62 millones de años; para esto se utilizará un aparato transportador del tiempo.

Si eliges el equipo A lee la pág. 46.

Si eliges el equipo B lee la pág. 49.

Recuerdas cuando estudiabas la evolución de la mente de los seres vivientes en doce planetas. La Tierra era uno de esos planetas y la época de los dinosaurios siempre te fascinó. El período cretáceo, cuando vivió el Tiranosaurus Rex, fue un tiempo difícil pero interesante. Súbitamente te encuentras allí, en un mundo sin criaturas humanas. Te impresiona ver que te has convertido en un velociraptor, muy pequeño comparado con el tiranosauro, y en una presa más para su voraz apetito.

Escondido detrás de la frondosa vegetación, estás asustado y hambriento, pero no te atreves a moverte. Un movimiento puede terminar en una súbita y violenta muerte. Oyes el ruido de pasos precipitados y un pequeño protoceratopo pasa a la carrera cerca de ti diciendo:

—Está claro, ahora. El tiranosauro y ese horroroso tarbosauro se han marchado a pelear entre sí. Tal vez eso nos dará un descanso.

Cauteloso, espías desde atrás de la maleza, después sales, caminando con cuidado, de tu escudo protector. Buscas una posición ventajosa para contemplar al tiranosauro y al tarbosauro empeñados en una sangrienta lucha. Horrorizado miras cómo usan sus agudos dientes y sus poderosas patas y brazos para desgarrarse mutuamente. Se oye un terrible alarido de dolor y después el crujido de los dientes del Rex que se clavan en el cuello de su enemigo.

Continúa en la página siguiente.

34   Ahora dirige su atención a lo que le rodea y te descubre. Enloquecido aún por la reciente pelea, corre detrás de ti.

Habrías hecho mejor en marcharte cuando pudiste hacerlo. Enloquecido golpeas algunos botones del medidor del tiempo que llevas en tu garra.

Si aprietas el botón de "Borrar" lee la pág. 48.

Si aprietas el botón de "Regresar" lee la pág. 50.

La posibilidad de ir a lo desconocido es probablemente algo riesgoso, pero ese deseo está en mucha gente que enfrenta grandes peligros. Tú corres hacia atrás en el tiempo, hacia el borde de la eternidad, hacia el principio de todo el universo. Alcanzas una elástica ingravidez y una sensación de completa paz y calma. No hay sonidos ni luces. Pero tampoco oscuridad. Vas hacia atrás, hacia el verdadero principio, hacia el palpitante, excitante comienzo. Regresas a *la gran explosión* que dio origen a todo. Eres y has sido siempre una parte de todo. El principio es el fin.

FIN

Actúas tan naturalmente como te es posible para ayudarlos a comprender que no eres una persona hostil. Esos seres de origen desconocido parecen entender el lenguaje corporal de la amistad. Se rehacen otra vez en una masa sólida y después empiezan a hablar en voz alta y metálica. Te recuerdan las primitivas cintas magnetofónicas que se encontraron en un museo del espacio de una antigua civilización de un continente que no se nombra. Es el mismo sonido tintineante. Esto es lo que dijeron:

—Somos mitad objetos, mitad formas vivientes. La línea que separa las cosas vivientes de las no vivientes no es muy clara en el sitio de donde venimos.

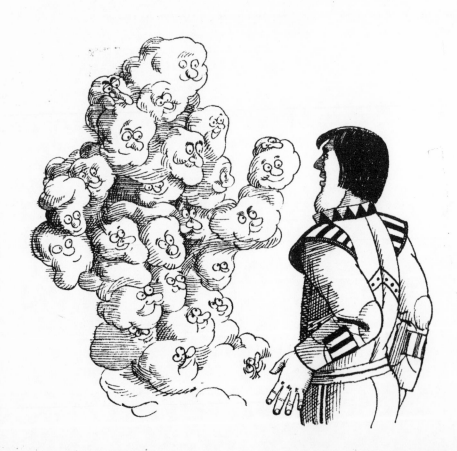

—Necesitamos que una criatura como tú nos ayude en nuestra búsqueda transgaláctica de un nuevo planeta. Nuestro planeta está en grave peligro de una reorganización atómica. Tememos que muy pronto será desintegrado. Nuestra incapacidad para permanecer de una sola manera, objeto o forma viva, hace necesario que nos reunamos con una criatura totalmente viva. Ayúdanos en nuestra búsqueda o te abandonaremos a la deriva en esta galaxia.

Si decides unirte a ellos en su búsqueda de ayuda lee la pág. 53.

¡ rehúsas ir con ellos lee la pág. 54.

38

¡Rápido! No hay tiempo que perder. Enciende la computadora que escudriña la mente y métete en el pensamiento de ellos. La computadora emite sonidos que parecen quejidos. Es muy complicada la tarea de leer en la mente de esos extraños seres.

Al fin contesta "Informe listo". Su comunicación es la siguiente:

—Principal fuente de energía localizada en tridente inferior, rejilla siguiente, factor negativo 3, eliminar E34, B13, perfeccionar parámetro original energía absorbida y proceder con alternativas variables.

Parece como si algún loco de la Tierra hablara contigo, pero tú lo escuchas y te das cuenta de que puedes convertir en inofensivas a esas criaturas, y que si lo deseas hasta puedes destruirlas.

—Escúchenme. Tienen una oportunidad. O desisten de este asalto o los desactivo. Esto es sólo un ejemplo.

Y a continuación les lees la comunicación.

En unos segundos los extraños seres empiezan a temblar. Pero son duros.

Si crees que ignorarán tu amenaza lee la pág. 51.

Si negocian lee la pág. 52.

La isla-luz aparece como un refugio para ti y te posas en ella, disfrutando de su tibia radiación. Bajas de la nave y te recibe un grupo de seis criaturas que ante tus ojos cambian de edad y de aspecto, transformándose de bebés en ancianos. Es más de lo que puedes comprender. Es aterrador. Es mirar al pasado convertirse en presente y al presente en futuro. Es un calidoscopio viviente repitiendo eternamente el ciclo de nacimiento y muerte.

Te das cuenta de que también a ti te está sucediendo lo mismo. Miras tus manos y son pequeñas y rosadas, manos de bebé. Delante de tus ojos crecen y cambian de textura. Una oleada de tiempo y experiencia te absorbe. No es desagradable, pero no tienes control sobre ella. Después, horrorizado, ves que se arruga la piel y aparecen en tus manos las oscuras manchas de la vejez.

Continúa en la página siguiente.

—No te asustes —te dice una de las criaturas—. Todos nosotros nos impresionamos al principio, pero con el tiempo se nos pasó.

—¿Qué quieres decir con "se nos pasó con el tiempo"?

Todos rieron, pero no en forma dura, lo que te tranquilizó.

—Mira aquí. Tienes que aceptar el hecho de que ahora perteneces al pasado o al futuro. El presente no existe realmente. ¿Pasado o futuro? Tú eliges.

Si quieres arriesgarte yendo al futuro lee la pág. 55.

Si deseas la comodidad del pasado lee la pág. 56.

Sientes que la nave da vueltas como si estuviera sin control. Después viene un momento de calma seguido rápidamente por más vueltas.

Para entonces ya estás despierto, completamente despierto. Miras el tablero de control, revisas los diagramas, la computadora de navegación y te das cuenta de que estás en camino a Phonon, que todo está bien y que simplemente has pasado por un período de sueño programado que te produjo las pesadillas de la lluvia de meteoros, de islas-luz y de agujeros negros.

Sigues para Phonon.

FIN

42 La Tierra te fascina. Has oído hablar mucho de su historia, una historia de violencia, de guerras, de grandes destrucciones y de odios que se mantenían vivos por años y hasta por generaciones. Se la describía como uno de los mundos más hostiles, y sólo los auténticos aventureros se arriesgan a pasar mucho tiempo en ella. Después está el pueblo de la Tierra que, a despecho de la violencia, planea grandes sociedades para beneficiar a todos los terrestres. Quizá podrías pasar algún tiempo en ella.

Transfieres a la Tierra los sistemas para programar tu biocomputadora que te acomodará a su atmósfera, lenguaje y alimentos.

Encuentras a los terrestres abiertos y amistosos, pero adviertes que te tratan con desconfianza.

Si te quedas lee la pág. 57.

Si te vas lee la pág. 58.

Cuando te posas en el planeta Tierra, el piloto de uno de los más grandes vehículos espaciales te dice:

—Escucha, no eres de los nuestros. No te queremos cerca. Quédate aquí donde estás o te evaporo.

Empuña una pistola láser. No concibes la causa de su enojo, pero no tiene sentido correr el riesgo de averiguarlo. Sólo estarás en la Tierra por poco tiempo, después te marcharás. Pero debes trazarte de nuevo un itinerario. Tal vez elijas una ruta diferente ahora. Quizá tu nueva ruta te lleve cerca de Zermacroyd.

Lee la página 3.

RS-3, UGB entra en la atmósfera de Axle. Los científicos examinan los equipos de operaciones, las condiciones atmosféricas, la existencia de microorganismos y las relaciones de energía. Todo parece normal. La nave vuela sobre la ciudad más grande de Axle. Se forma un destacamento de exploración. No te piden que te unas a ellos, pero te interesa lo que está sucediendo abajo. Los monitores de TV revelan una ciudad en silencio. Se avistan pocos seres vivientes y los que se ven parecen débiles y apáticos.

El destacamento informa por radio que una extraña fiebre reina en Axle, afectando virtualmente a todos sus habitantes, que están muy débiles.

Ahora el destacamento informa que tres de sus miembros tienen los mismos síntomas que los axlianos. Comentan también que evidentemente ciertos seres de otros planetas son inmunes a la enfermedad, mientras que otros no. Ellos piensan que solamente los inmunes deben trabajar en el planeta para combatir el mal.

Si crees que eres inmune lee la pág. 59.

Si no, lee la pág. 61.

Examinas los peligros de viajar a un planeta infectado por una extraña enfermedad. Y decides que no estás preparado para resolver esos problemas. Después de una larga y honrada conversación con el comandante de la nave, éste dice:

—Comprendo tu aversión por unirte a nosotros y te felicito por tu coraje al admitir tu temor y preocupación. Haré cuanto pueda por ayudarte en tu viaje. Buena suerte. Gleeb Fogo (el saludo universal de amistad).

Tu nave está ya reparada y lista para viajar. De la estación te arrojan con la catapulta y regresas al negro vacío.

Lee la página 62.

Densas nubes se arremolinan en el cielo del planeta Cynthia. Tu nave penetra en esas nubes y sale a un paisaje de rica vegetación. No se ven ciudades ni poblados. ¿Dónde está la gente? ¿Y la revolución?

Desciendes y encuentras que la atmósfera es bas-

tante aceptable para tu biosistema. Sólo necesitaste una pequeña ayuda del protector de vida que llevabas en la mochila. Mermah te acompaña.

—¿Viste eso?

—¿Qué? ¿Qué viste?

—Sólo una sombra. Una sombra que se movía rápidamente, como si nos siguiera.

De pronto se detienen. Están rodeados por figuras oscilantes, criaturas vivas que se mezclan y retuercen como sombras. No podrían decir qué son.

—¿Paz o guerra? ¡Tú! ¿Eres el jefe o uno de sus seguidores? —pregunta una de las sombras.

—Paz, por supuesto. En nuestro mundo no creemos en la guerra.

—Ellos dicen lo mismo, pero las guerras siguen en todo el universo.

—¿Qué hace tu pueblo? ¿Por qué pediste ayuda?

—Estamos combatiendo con las fuerzas de la luz, que son nuestras enemigas. Nosotros somos las sombras.

No sabes si creerles o no, pero no puedes elegir. Tienes que seguirlos. Los llevan al cuartel general. Allí les explican que las fuerzas de la luz tratan de destruir al pueblo de las sombras para crear un mundo sin sombras donde la luz pueda correr en cualquier dirección.

Si tú y Mermah se unen a las fuerzas que lucharán en el llano, lee la pág. 65.

Si se unen a la tripulación de las naves impulsadas por cohetes, lee la pág. 66.

Te apartaste a tiempo para huir del bruto. De todos modos el botón "Borrar" que apretaste no lleva en realidad a ninguna parte ni a ningún tiempo. Por radio pides ayuda e instrucciones.

Súbitamente te encuentras de nuevo en tu nave, dirigido a Phonon. ¡Oh, no! Está empezando todo otra vez. No podrás soportarlo.

Lee la página 2.

Viajar en el tiempo es aterrador. Cuando te deslizas hacia atrás en el tiempo es como bajar de espaldas una montaña rusa, pero más rápido. Puedes contemplar el universo por tu tronera privada. Ves nacer estrellas y las ves morir, ves planetas que giran en el espacio, cometas que vienen y van, supernovas que explotan, y todo el tiempo ni siquiera estás allí. Eres energía pura que cuenta hacia atrás en el tiempo hasta que te detienes en Marte, un planeta con un pequeño sol en la Vía Láctea, un planeta casi desconocido de una insignificante galaxia.

Cuando llegas a Marte eres invisible y puedes viajar a través del espacio, de la materia sólida y hasta de los pensamientos de la gente.

¿Cuál es la causa de la revolución en Marte? Quién sabe. ¿Codicia? ¿Hambre? ¿Envidia? ¿Celos? Quizá sólo una instintiva necesidad de guerrear. Es demasiado complejo. Cada uno tiene una respuesta diferente. Cada uno señala al otro. Todo lo que sabes es que las criaturas se matan, que destruyen las ciudades... Pero para todo eso hay un nuevo camino... si da resultado. Tú formas parte de él, es el camino de la unión.

FIN

50   El medidor-contador te lleva a través del tiempo-espacio hasta el Este de África a un lugar ahora llamado Garganta de Olduvai. Cuando llegas ves que no es una garganta sino una planicie. Está a cuatro millones de años terrestres atrás en el tiempo. Es el comienzo del género humano, y los primeros seres humanos están empezando a desarrollar su tipo de vida. Viven como cazadores principalmente. Han inventado herramientas y empiezan a usar los huesos de animales como armas. Es el principio de la civilización. ¿Por qué no quedarte allí y ver qué sucede? Tal vez puedas cambiarlo todo.

FIN

Ignorarte es su mayor error. Ellos creyeron que estabas haciendo bluff, pero por supuesto no era así. ¡No con tu vida en juego!

Programas tus propios códigos y miras cómo esas hostiles y dudosas criaturas empiezan a desvanecerse en contados segundos. Sientes una sublime satisfacción, un poder supremo; y a poco empiezas a darte cuenta de que algo te está sucediendo. ¡Algo increíble!

Si continúas destruyendo a las hostiles criaturas lee la pág. 67.

Si sólo quieres anularlas y tomar el mando lee la pág. 68.

Quedan impresionados por la demostración que acabas de hacerles. Juntándose en una masa embarullada y floja, murmuran y farfullan durante unos momentos. Después se separa una parte de ella, toma cierta aproximación a una forma humana y dice en voz alta y uniforme:

—Reconocemos que tienes el poder de destruirnos. Pero hemos decidido confiar en ti. Si fueras hostil ya nos habrías destruido sin pensarlo dos veces. Creemos que eres bueno.

Hay un burbujeo de asentimiento en la floja masa. El discurso continúa.

—Hemos salido en una misión de nuestro planeta natal. Necesitamos desesperadamente un plasma especial que provee la energía para nuestros generadores de pensamientos. Sin ese plasma, que hace mucho que no se puede obtener en nuestro planeta, estamos terminados. Seríamos sólo grandes bultos sin dirección. Necesitamos la guía del pensamiento. Se sabe que el plasma se puede conseguir en dos planetas. Uno de ellos se llama Phonon.

Casi das un salto.

—¡Adelante! —dices burlón—. Vamos.

Entonces todo parece detenerse. Un extraño sonido se infiltra en el vacío. No es alto ni suave, pero resulta evidente que viene de afuera de ti.

Si crees que el sonido es amistoso lee la pág. 69.

Si no, lee la pág. 70.

Parte de su equipo busca el plasma de energía vital que necesitan ellos para pensar. Pero el grupo principal está en una misión que colecciona muestras de otras formas de vida en una extensa variedad de planetas. Esperan obtener suficiente información de los diferentes tipos de vida como para que los ayude en su cambio de objetos a formas vivientes. Comentan que esta "investigación" será de gran ayuda para todos los seres del universo transgaláctico.

Te das cuenta de que tú eres uno de sus especímenes y eso te asusta. Te proponen que te unas a ellos en esa misión. Puesto que tienen una forma tan repulsiva necesitan a alguien como tú que vaya adelante como explorador de avanzada para ayudarlos a formar su colección de formas vivientes. ¡Serás su señuelo! No te gusta la idea, pero ellos prometen que no harán ningún·daño a los que forman la colección. Después de estudiarlos y evaluarlos los devolverán a sus planetas de origen. ¿Qué puedes perder? Y tú también lograrás marcharte. Parece algo interesante.

Te presentan a dos misiones. La primera es para viajar a un planeta con criaturas de tipo terrestre; la otra es para ir a una pequeña estrella a buscar objetos-seres vivos.

Si eliges la misión que va a un planeta parecido a la Tierra lee la pág. 72.

Si te atraen los riesgos de una investigación en una estrella pequeña lee la pág. 73.

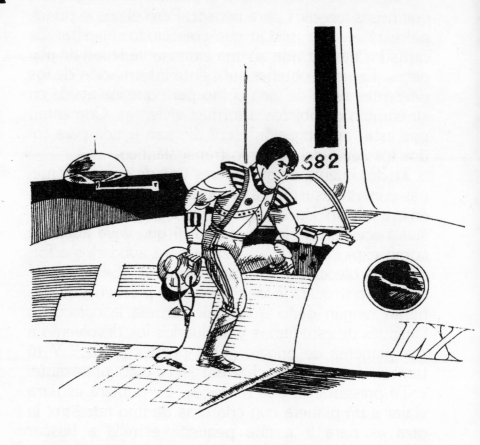

No, no deseas unirte a ellos. Seguirás adelante solo. Prefieres ser independiente. Pero cuando están por abandonarte a la deriva te advierten que tu falta de cuidado sólo puede acarrearte problemas en el futuro. En cierto modo, es una maldición que te están echando.

Si buscas venganza lee la pág. 74.

Si no prestas atención a sus palabras lee la pág. 75.

¡Futuro! Siempre las criaturas han deseado poder predecir el futuro. Con frecuencia consultan dioses o diosas. A veces hasta abren animales para conocer la verdad. Otras entran en trance, pero más a menudo sólo esperan que la suerte las ayude diciéndoles lo que les brindará el futuro. Parece que nada dio realmente resulado. Pero ahora tú puedes viajar al futuro.

—Camina por aquí, tienes que estar preparado para este viaje al futuro.

Te conducen a una larga rampa en cuyos costados cambian constantemente la luz y las imágenes.

—Ahora quédate quieto. ¡Permanece en calma y alégrate!

Súbitamente, saltas al futuro.

Si crees en el futuro lee la pág. 76.

Si dudas lee la pág. 77.

Regresar al pasado crees que es una cosa muy segura y probablemente la más interesante. ¿Pero qué significa el pasado? ¿Hace cinco minutos, un año, trescientos años, dos millones? Esto es demasiado general. Tienes que elegir un tiempo determinado del pasado, o un período.

Si eliges ver el universo de hace dos millones de años lee la pág. 78.

Si quieres ver los pasados cien años lee la pág. 79.

¡Qué planeta más interesante! Hay numerosos pueblos, idiomas y costumbres. Puedes viajar y aprender mucho en este pequeño planeta. En verdad existen graves problemas, como la polución, las guerras y la crisis energética. Pero crees que se están realizando progresos. Un trascendente grupo político llamado Naciones Unidas trata de resolver algunos de los problemas. El pueblo está cansado de guerras. Sí, decides que la Tierra es un lugar que vale la pena conocer. Tal vez puedas ayudar a hacer de ella un sitio mejor para vivir.

FIN

58 La televisión en las naves espaciales había mostrado algunas de las dificultades de la Tierra. Exhibía problemas de demasiada gente, de muy poca comida, de muchos crímenes, de polución. Ahora que tú estás en la Tierra comprendes que todas eran cuestiones reales. Te asustan. ¿Por dónde empezar a resolverlas? ¿Qué puede hacerse? Pero es demasiado tarde, no puedes abandonar el planeta. Un terrible temblor sacude el suelo. Terremotos y maremotos destruyen ciudades. La razón es desconocida, pero la gente sospecha que varias explosiones nucleares fueron la causa.

FIN

Eres inmune a esa extraña enfermedad de Axle.
Los médicos y científicos confirman que tu constitu-
ción bioquímica no será afectada por la fiebre de allá
abajo. Con otros tres miembros inmunes de la tripulación te llevan a Axle en un pequeño transporte.

—Misterioso, ¿no?

—Sí. Es como si la ciudad estuviera muerta. Mire a
ese individuo que va allí. Apenas puede caminar.

—Como le dije, todo es muy misterioso.

—Sin embargo algo tiene que causar este mal, que
afecta a casi todos.

Tu equipo entrevista a varias personas enfermas.
Todas cuentan lo mismo: empezó con un súbito ata-
que. A los pocos días la población estaba paralizada.
No observaron ningún cambio antes de que se pre-
sentara la enfermedad. El único suceso diferente fue
la visita de delegados de otro planeta que buscaban a
algunos políticos prófugos. Después nada, sólo la enfermedad.

Continúa en la página siguiente.

60

Los interrogas acerca de esos delegados de otro planeta, pero sus respuestas son vagas, inciertas. No recuerdan el nombre del planeta. Tampoco los números de serie de su nave espacial. Son de muy poca ayuda. Tal vez esos delegados eran hostiles y tenían planes contra Axle.

Otras personas que entrevistas hablan de las advertencias que un pequeño grupo de científicos hizo acerca de la polución en su planeta y que muy pronto les causaría dificultades que no podrían solucionar. Ellos también fueron muy vagos e inciertos.

Si vas a buscar a los delegados lee la pág. 80.

Si buscas las fuentes de polución lee la pág. 82.

Te enfermas con la extraña fiebre. Uno por uno caen contagiados los otros miembros de la tripulación. Hasta los que se suponía que eran inmunes. El comandante de la nave espacial delira por la fiebre y trata de escapar yendo a otro planeta.

—Tenemos que huir. Tenemos que irnos a otra parte —grita mientras la nave se aleja de Axle.

Pero pueden llevar la enfermedad a donde quiera que vayan. Después de varias semanas de vagabundeo el Cuerpo Gobernante del Universo envía algunas naves para perseguirlos y capturarlos.

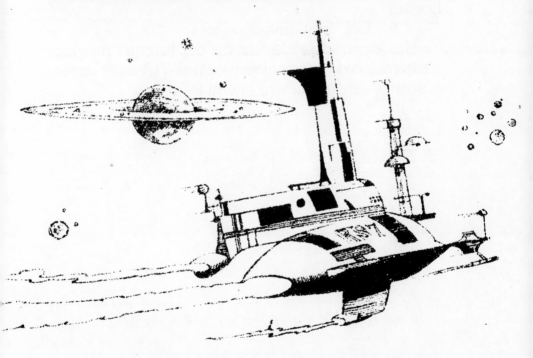

Si trazas un plan antes de ser capturado lee la pág. 84.

Si llevas una computadora buscando la causa de la enfermedad lee la pág. 83.

62

Súbitamente te encuentras en medio de los disparos de un láser. Tu unidad exploradora óptica te muestra once navíos espaciales. Cuatro tienen el diseño de Lodzot y seis parecen ser de Marly. El undécimo es una nave de la policía del Cuerpo Gobernante del Universo.

Los rayos del láser dan en la nave espacial y ésta estalla en millones de trozos brillantes. Uno de los Lodzot se acerca para investigar.

—¡No se muevan! Desactiven el cañón láser. Identifíquense —el que habla es el comandante de una nave Lodzot.

—OK. OK. Soy amigo —dices.

—La amistad se demuestra de distintas maneras. Ya hemos oído esas palabras antes. ¿Quieres unirte a nosotros contra nuestro enemigo?

Si no te unes a ellos en su lucha serás evaporado.

Y es el

FIN

PERO

Si te unes a ellos lee la pág. 64.

64

Te unes a ellos. Pero te sientes forzado a participar de un conflicto que aparentemente no tiene motivo. No pueden decirte por qué están luchando. Se les ordenó que lo hicieran y lo hacen.

Las otras naves han adoptado una formación defensiva y piden una tregua por radio. Los capitanes de las naves espaciales sostienen una conversación y después dicen:

—Díganos por qué tendríamos que negociar.

—¿Qué se acostumbra hacer cuando se lucha? Usted quiere que todos mueran. Que ninguno triunfe.

—Hablaremos de nuevo de esto —replica el comandante de un Lodzot.

Si te quedas como negociador lee la pág. 87.

Si te marchas lee la pág. 86.

Mermah te convence para que te unas en la llanura con las fuerzas que luchan contra el pueblo de la luz. Los ponen a ti y a Mermah al mando de 14 batallones de sombras, y tú construyes un sistema de murallas que bloquean las fuentes de luz. La tensión aumenta cuando el pueblo de la luz envía mensajes conminando que se entreguen a las fuerzas de las sombras.

Se forma un consejo y los invitan a ti y a Mermah a participar.

—¿Debemos atacarlos o habremos de retirarnos? Posiblemente no podremos defendernos.

Tú y Mermah conferencian con las fuerzas de las sombras.

Si deciden atacar lee la pág. 88.

Si se retiran lee la pág. 89.

Las fuerzas de la nave impulsada por cohetes parecen las más interesantes, y además tú te entrenaste como piloto espacial. Las fuerzas de tierra serán más difíciles para ti. Te ascienden a comandante de fila y te haces cargo de tu nombramiento en una gran nave con armas accionadas por láser. Desde ese momento estás en el espacio buscando y destruyendo naves enemigas.

Pero interiormente te dices: "¿Qué clase de vida es ésta, siempre destruyendo cosas?" Quizá te gustaría abandonar todo.

FIN

¡Crash!... ¡Zork!... Ellos, o eso, o lo que sea yace temblando en una frágil y fláccida masa en el piso de la cabina. Pero la carga de energía era tan grande que también tú te has transformado y has perdido tu estructura actual para convertirte en energía pura. Tal vez puedas empezar todo de nuevo. Tal vez puedas rematerializarte. Pruébalo.

Si tratas de rematerializarte e ir a Phonon lee la pág. 2.

Ahora tienes el mando. ¿Eso te hace sentir mejor? ¿No? ¿Tal vez solo? ¿No? ¿Confuso? Bueno, estando al mando de algo probablemente se sienten todas esas cosas. Esto está en tus manos. Continúa.

Primero buscas sus bancos de memoria, revisas sus cuadernos de misiones anteriores y pones todos los datos juntos para encontrar una respuesta. Es todo confuso, pero persistes.

Como un acertijo con tres dimensiones, los datos forman un cuadro incompleto de un planeta en la mitad de la evolución de objetos con rudimentos de conciencia a verdaderas formas de vida. De alguna manera las cosas llegaron a cruzarse y esos seres mitad-objeto y mitad-criaturas vivas se lanzaron al espacio buscando cuidados. Ellos creen que los cuidados resolverán sus problemas.

FIN

El sonido crece en intensidad. Realmente cambia el tono y de pronto la energía del sonido se transforma en luz. Todo el lugar se ilumina con hermosos colores que irradian calor y fuerza. Las luces parecen unirse todas alrededor de ti. Es una sensación muy agradable; luego sientes una rápida pulsación y saltas al hiperespacio con un impulso casi increíble por su intensidad. La luz sirve de vehículo para transportarte a ti y a las otras criaturas hacia un lugar desconocido.

Si intentas regresar a tu nave lee la pág. 97.

Si continúas en el vehículo lee la pág. 98.

¿De dónde viene el sonido? En ese momento una gran sombra se proyecta sobre ti. Todos los aparatos dejan de funcionar. Se oye el sonido que llena el espacio. Mirando hacia arriba ves un gigantesco navío espacial, más grande que cuantos viste hasta ahora. Brilla con una suave luz verdosa y es evidente que el sonido viene de él.

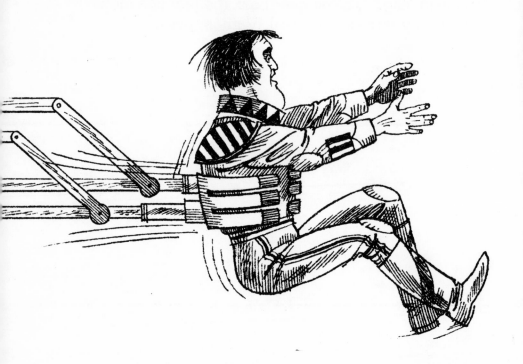

Un transporte automático te levanta y de pronto estás en el interior del gigantesco navío. Cosa extraña, nadie ni nada con vida parece existir a bordo. Un brazo mecánico conduce a un pequeño cuarto. Comida, libros, música hay en una mesita. El sonido cesa. Entonces una voz dice:

—Te hemos buscado y te damos la bienvenida a bordo del Craabox. Somos un pequeño mundo. Necesitamos tu tipo para completar nuestra sociedad. Alégrate. No sufrirás ningún daño.

El sonido empieza de nuevo y tú quedas sumido en un profundo sueño.

Cuando despiertas la voz te dice que vayas al cuarto 99 o al 100. Preguntas para qué, pero la voz sólo contesta "elige". ¿Elegir qué? Es como tirar una moneda, no hay una elección real. Vamos, pues.

Si eliges el cuarto 99 lee la pág. 99.

Si eliges el cuarto 100 lee la pág. 100.

—Nos acercamos al planeta Orgone desde una dirección que nos mantiene a la sombra de su luna. Descenderemos en una región despoblada y procederemos de acuerdo con el plan.

El que habla es su mínimo líder. Al líder máximo se le ordenó regresar a su base por causa de unas negociaciones muy grandes, muy importantes, muy complicadas y... muy desconocidas. Tal vez el mínimo líder resulte algo mejor. Sea como fuere bajas en un terreno arenoso cubierto con raquítica maleza.

—No se ve a nadie; todo está bien —informas cuando baja el número uno de la nave.

—Procedan de acuerdo con el plan —dice el líder mínimo.

Caminando por una pequeña ciudad te quedas asombrado de las formas de vida que hay. Son como tú, pero todos hablan demasiado rápido. Se alimentan frenéticamente, poniéndose discos en la boca. Beben un líquido marrón con los discos. Se oye un extraño sonido que viene de unas cajas brillantemente coloreadas. En realidad todo es muy raro. Cada cosa se hace rápidamente. Te sientes incómodo.

De repente irrumpe una idea en tu cerebro: "Tal vez pueda huir. Me parezco a ellos, quizá si me mezclo con ellos pueda escapar". Te pones en una fila para recibir discos y el líquido marrón.

Si continúas escapando lee la pág. 90.

Si no, lee la pág. 91.

Las estrellas son masas de gases extremadamente calientes que emiten energía en forma de explosiones de las partículas atómicas. La violencia de sus continuas reacciones es increíble. ¿Por qué quieres ir en una misión a semejante mundo? Pero eso es lo que has elegido.

El grupo con el que te unes está entusiasmado con la misión. Saben que si tienen éxito y entran en ese sol particular y regresan con ejemplares de objetos vivos serán recibidos como Seoreh (héroes) en su país. Todo por la fama.

La nave espacial entra en una ancha órbita cercana a ese sol y en el momento apropiado, con los escudos que desvían el calor, los reflectores antimateria y desmaterializando los pertrechos operativos, sale de la órbita y se arroja al sol. Es una locura y te das cuenta de ello demasiado tarde para hacer nada. Quedas transformado en partículas de energía básica.

FIN

74	El espacio es enorme y los pensamientos de venganza se desvanecen. Por pura casualidad te cruzas en el camino de otro vehículo espacial en el que van renegados de la Tierra, Acxr, X321, Mowon y 0000. No parece difícil comunicarse con ellos. Lo que no está muy claro es si esos renegados son en realidad piratas del espacio o sólo buscadores de aventuras. Después de varias horas de conversación les cuentas lo que te ha ocurrido y tus nuevos amigos te dan a elegir entre dos misiones.

Si formas con ellos un grupo de batalla y buscas la nave y las criaturas que te causaron problemas lee la pág. 92.

Si olvidas el pasado y te unes a ellos como aventureros del espacio (alias piratas) lee la pág. 93.

Márchate tan pronto como puedas. ¡Qué grupo! Es agradable y cómodo estar de nuevo en su propia nave espacial. En un momento de euforia por haberte separado de los extraños seres aumentas la velocidad más allá del límite permitido.

Continúas acelerando y parece no haber fin para tu velocidad. Las cosas se vuelven borrosas. Los contornos del tablero de control se desdibujan. Las luces parecen demasiado brillantes y reconoces que no hay barreras entre ti y el espacio exterior. Te desvaneces gradualmente en el vacío estelar.

FIN

En una enorme habitación una luz descansa sobre una mesa. Sabes que tienes que ir hasta la mesa. Hay un débil perfume de artemisas (una planta que se encuentra en algunos desiertos del planeta Tierra). Una voz te dice que abras un libro sobre la mesa. Allí no hay ninguno, entonces aparece. Es la historia de tus pasadas vidas durante 6 millones de años. Te asombra el gran número de vidas que has vivido... capitán de mar, piloto espacial, esposa de un esclavo.

Has sido pobre y rico, casado con hermosas mujeres, con mujeres comunes, delicadas algunas, bondadosas otras. Has conocido el éxito y el fracaso. Has sido feliz y desdichado. Sólo dos veces en todo ese tiempo sentiste aburrimiento.

—¡Eh, aguarda un momento! Pensé que iba hacia el futuro. Eso es lo que convinimos. ¡Vamos! Un arreglo es un arreglo.

—El pasado es también el futuro. Tienes mucho que aprender. Mira lo que ya has aprendido. Deja entonces que el futuro se revele por sí mismo.

FIN

Es sólo charla. Ya has oído ese cuento antes. No puedes perder tu tiempo escuchando.

Tal vez logres encontrar una forma de salir de esa loca confusión. ¡Pasado y futuro son lo mismo! ¡Bah!

Pero no hay manera de marcharte... Por lo menos no la ves.

FIN

78   Hace dos millones de años. Ni siquiera puedes concebir dos millones como número. Entonces tú estabas allí. Nubes y partículas llenan el vacío. Aparecen estrellas, explotan planetas, la oscuridad es apartada por la luz de millones de estrellas. Paseas entre un vaho de luz y de partículas. Es hermoso.

FIN

OK, si vas a ver sólo los pasados 100 años, ¿dónde quieres verlos? ¿En la Tierra? Es una elección graciosa. ¿Por qué no eliges en cualquier otra parte? Quieres ver la Tierra. Eres tú el que elige.

La Tierra en los últimos cien años: superpoblación, ciudades atestadas. Miembros artificiales y operaciones del corazón. Granjas enormes dirigidas por máquinas. Petróleo descubierto y agotado. Gran riqueza, gran pobreza. Rápido cambio. ¿Dónde terminará esto?

Si eliges ver el futuro lee la pág. 109.

Si deseas ir a otra parte lee la pág. 110.

Es posible que extranjeros hostiles hayan infectado a Axle con algún propósito determinado. Designan a tu equipo para buscar a los delegados y averiguar qué hicieron.

Sólo existe una pista. Es la transmisión por radio, registrada, que efectuó Axle pidiendo ayuda. El mensaje no parece muy claro, pero da las coordenadas geográficas que incluyen al vecino planeta de Fleedes. Viajas hacia allí y lo que encuentras es increíble. El planeta está casi despoblado. Sólo hay ruinas de ciudades y pueblos. Parece que hubiera habido una

guerra, aunque no hay evidencias de que una fuerza victoriosa hubiera tomado el mando. Pero también allí hay pruebas de que la extraña fiebre ha hecho sus víctimas.

Si eliges realizar una operación de limpieza lee la pág. 111.

Si decides buscar en el pasado la causa de la epidemia o lo que sea que está destruyendo esa civilización lee la pág. 112.

La polución del aire, del agua y de la tierra se produjo rápidamente en Axle. Tu investigación encuentra que en sólo tres generaciones el aire se volvió irrespirable y el agua inadecuada para beber. La poca atención que se prestó a lo que estaba sucediendo permitió que los niveles tóxicos crecieran con rapidez. Mientras los dirigentes discutían acerca de las soluciones, el pueblo esperaba cosas que mejoraran el problema. Entonces la fiebre empezó a hacer estragos. Descubres que la fiebre tiene origen en una combinación de agentes contaminadores y la declinación de la salud de la población.

Puedes intentar que los axlianos que quedan hagan cambios para detener la polución. Si lo haces lee la pág. 113.

Si crees que éste es un problema para la Corte Galáctica lee la pág. 114.

Las historias de todos los mundos tienen tristes relatos de plagas y fiebres y enfermedades y epidemias. Pero la peor de todas es la dolencia producida por una excesiva exposición a la radiación. Y tú nunca investigaste en Axle si sus reactores nucleares emitían radiaciones de niveles peligrosos. Es algo muy simple. Esta fiebre no la causa una bacteria. La causa la radiación de la peor clase. Y no tiene cura.

FIN

Las naves perseguidoras siguieron el rastro de una fiebre infecciosa dejada en varios planetas por gente inescrupulosa que luego huyó. Pronto se corre la voz y dispositivos especiales de protección impiden a tu tripulación entrar en la atmósfera de algunos planetas. Tres de tus tripulantes mueren de fiebre, pero tú no empeoras, hasta te parece que te sientes mejor. Entonces se te ocurre una idea sorprendente.

—Escuchen —dices—, regresemos a Axle donde empezó la fiebre. Únicamente podremos encontrar el remedio en el lugar de origen de la enfermedad.

A regañadientes aceptan los restantes miembros de la tripulación y te diriges a Axle. Siguieron tu consejo porque habías mostrado coraje y sagacidad en los momentos difíciles.

Si realmente crees que puedes encontrar el remedio lee la pág. 116.

Si realmente crees que no puede hacerse nada lee la pág. 115.

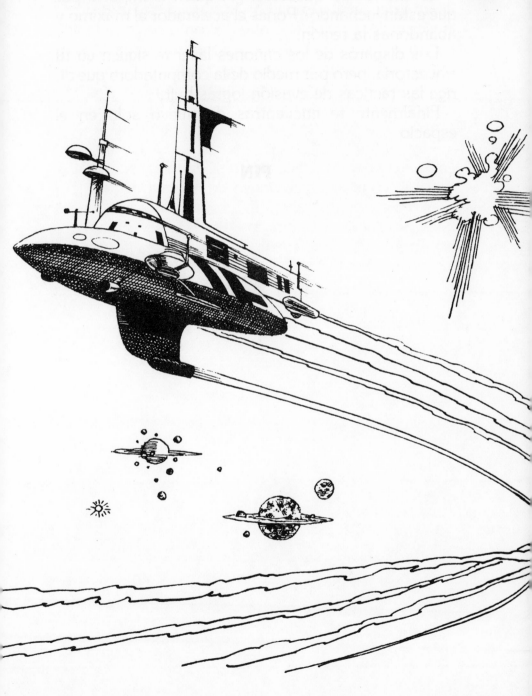

86 Es una locura quedarse. ¿A quién le importa por qué están luchando? Pones el acelerador al máximo y abandonas la región.

Los disparos de los cañones láser te siguen en tu trayectoria, pero por medio de la computadora que dirige las tácticas de evasión logras huir.

Finalmente te encuentras de nuevo solo en el espacio.

FIN

Ninguno quiere realmente luchar. Ya han muerto muchos. Tú negocias la paz entre las fuerzas enemigas. Ellos son los que quedan de una gran armada de naves espaciales que ha estado luchando por más de trescientos años galácticos. Son los últimos sobrevivientes. Hasta han olvidado la causa de la guerra.

FIN

El planeta Cynthia se ha convertido en un campo de batalla. El humo cubre las ciudades. Sólo ruinas se ven por todas partes. Tu grupo ataca con armas láser, pero las fuerzas enemigas parecen muy aguerridas y no huyen ni se rinden. Matan a gran parte de tus tropas. Es una verdadera carnicería.

Si puedes mantener alejado al enemigo mientras huyes lee la pág. 94.

Si te entregas lee la pág. 96.

No siempre la retirada es una mala táctica. Después de todo harías lo que crees razonable. Luchar ahora sólo crearía una ulterior destrucción. Ya se ha hecho demasiado daño. Retrocedamos. Dejemos que los otros se den cuenta de lo que está sucediendo.

Al ver nuestra retirada el enemigo parece asombrado. El humo se aclara, el ruido cesa. También ellos retroceden. Se acabó la lucha.

FIN

Te parece fácil huir. Sientes repugnancia cuando pones uno de los discos en el agujero que tienes en tu cabeza. Su sabor es raro. Está cubierto por una capa de goma amarilla y encima tiene pequeños discos verdes. ¡Qué extraña comida!

Sigues con los otros. No se fijan casi en ti porque están muy ocupados consigo mismos. El ruido de las cajas coloreadas es ensordecedor para tus sensibles dispositivos. Sales con un grupo de ellos. Imitándolos, rompes papel y lo esparces a tu alrededor. Qué extrañas costumbres.

Afuera subes a un gran vehículo pintado de verde oscuro. El vehículo parte y te lleva a un campamento situado fuera de la ciudad. En un gran cartel dice: "Bienvenido al ejército". No estás seguro, pero crees que te has mezclado con un grupo de militares.

Si eliges quedarte y averiguar lo que sigue lee la pág. 101.

Tienes un arma secreta que no has empleado todavía. Si decides usarla lee la pág. 106.

Si escapas te volverán a capturar. De cualquier modo puedes continuar con la misión. Con el coraje nacido del conocimiento de que nada puede herirte en la Tierra, capturas a lo que los terrestres llaman un político (criatura muy peligrosa), un estudiante (también peligroso) y un empleado del gobierno (no se sabe si es peligroso o no). Todos parecen iguales. Tu computador que examina la mente dice que todos ellos piensan igual básicamente.

A lo largo del camino te detienes para disfrutar de la vista, pero ésta queda cubierta rápidamente por un humo espeso y gris que viene de millones de cajitas con discos que corren a lo largo de cintas grises.

Si interrogas al estudiante lee la pág. 102.

Si interrogas al político lee la pág. 105.

Disponiendo en triángulo a las naves espaciales aceleras al máximo y buscas en el cercano espacio galáctico la rara nave y a sus ocupantes. Te das cuenta de que esas criaturas no devuelven las señales, que su nave no contesta en la forma acostumbrada a los sondeos del radar. Es una masa blanda y gelatinosa que absorbe la energía del radar y la acumula para su propio uso. Ningún sondeo del radar rebota en sus pantallas. Simplemente se pierde.

Entonces lo comprendes, más que nada por intuición. Ahora está directamente delante de ustedes. El grupo forma de nuevo el triángulo de batalla, disminuye su velocidad y concentra su múltiple poder en la rara nave. Se oye una explosión y ésta se desmaterializa.

¿Bien hecho? Realmente no estás muy seguro de ello.

FIN

—Olvídalos, hermano. Ellos no tienen nada que necesitemos. Vengarse es algo muy aburrido —es la comandante del espacio. Habla en un tono amable.

—Entonces, ¿qué haremos ahora? —preguntas. Tú siempre necesitas un plan.

—Vamos a salir en una misión de exploración. Ya ves, mi nuevo amigo, nosotros tratamos de encontrar las cosas que necesitamos en otros planetas. Simplemente las tomamos cada vez que podemos. Tratamos de no herir a nadie, pero siempre se corre algún riesgo.

—¡Pero ustedes son piratas! ¿Piensa que querría acompañarlos en esa locura? ¿Y qué me dice del Cuerpo Gobernante del Universo?

Se oye una risita entre los pilotos del espacio, pero no puedes saber si se ríen de ti o sólo del Cuerpo Gobernante del Universo.

¡Qué lío! ¿Qué harás ahora? No lo sabes.

Tira una moneda.

Si sale cara lee la pág. 107.

Si sale cruz lee la pág. 108.

94　Hay una oportunidad de huir. Durante un momento de calma tu grupo escapa hacia unas colinas alejadas del campo de batalla. Entonces ocurre algo. Las fuentes de energía para los láser, para las naves espaciales y para todos los sistemas de comunicación desaparecen misteriosamente. No hay más energía, salvo la propia. Las armas son inútiles. Las radios y los transportes son sólo piezas de metal y de plástico que no funcionan. Ahora para sobrevivir tendrán que cazar para conseguir comida y ayudarse los unos a los otros.

FIN

96 ¡Rendirse! Pero si no te rindes todo será destruido. ¿Qué quiere decir rendirse? Estás asustado, mas la historia ha demostrado a menudo que los conquistadores no siempre continúan siéndolo. Se convierten en una parte de la nueva civilización con las características de ambos, vencidos y vencedores. Con todo eso será el último recurso.

Después de largas conversaciones con tu grupo todos deciden correr el riesgo de rendirse y unificarse con los vencedores. Se hace eso.

FIN

A pesar de todo tú y ellos comprenden que un reparto equitativo —aunque parezca imposible— es probablemente el único camino que queda. Se ha perdido demasiado tiempo luchando. El Cuerpo Gobernante Universal siempre ha tratado de estimular la unión y el reparto equitativo, pero raramente lo ha conseguido. Ésta es la oportunidad. Ahora es el momento. Tú te ofreces para estimular el reparto de la energía en todas las galaxias.

FIN

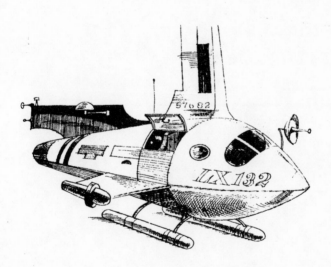

El Cuerpo Gobernante Universal tiene graves nove-
dades. Hay una importante disminución de energía en
todas las galaxias. Nadie puede identificar la causa de
esta pérdida de energía, pero hay un paro de sistemas
en todos los cuadrantes: transportes, comunicaciones, protectores de vida, en *todos* los sistemas. Es
como si una gigantesca batería se estuviera agotan-
do, debilitándose a cada minuto que pasa. Ahora todos deben actuar sin ayuda, contar únicamente consigo mismos.

FIN

Bueno, bueno... De modo que tu moneda te trajo aquí. ¡Qué sorpresa! Tu suerte ha invertido el tiempo y el espacio. Estás de nuevo en el principio. Tienes una nueva oportunidad. Prueba otra vez. ¡Y buena suerte!

Lee la página 1.

100 No está mal. Tiraste la moneda y ganaste. La habitación 100 es la cámara del jefe de las naves. Te nombrarán comandante de este extraño mundo artificial. Aprenderás todo lo que se pueda aprender, verás todo lo que haya que ver, y entonces guiarás a este ambulante minimundo a través de las galaxias, investigando, aprendiendo aún más, coleccionando especímenes de otras formas de vida.

FIN

Dondequiera vayas el pueblo o las criaturas parecen estar luchando. Quieren más tierra, o agua, o poder, o tal vez sólo excitación.

Te convertiste en un jefe natural porque las fuerzas estaban sin líder y cansadas de los conflictos. Después de escuchar las quejas te ofreces para negociar la paz. Pero en tu primera gestión con las fuerzas hostiles te capturan y la guerra sigue.

FIN

—OK, estudiante, háblame de ti. ¿Qué es un estudiante?

El estudiante se halla tranquilo. Por lo menos no está en la escuela y realmente no siente temor de ti.

—Bueno... no lo sé. Ser estudiante es como ser un prisionero. Todos te dicen siempre lo que debes hacer, lo que no debes decir, adónde debes ir, y todo te lo dicen a gritos. Es muy desagradable.

Te impresiona lo que escuchas. Después de todo tú disfrutas aprendiendo cosas. Le preguntas:

—¿Qué tiene de bueno ser estudiante?

—Bueno, las vacaciones y que generalmente no hay mucho que hacer.

—¿Eres peligroso?

—No, sólo ellos piensan eso. No lo somos.

Súbitamente da un salto y te toma de los brazos. Te ata. Ahora eres su prisionero. Dice:

—Vea si le gusta el estudio. Llamaré a las autoridades.

Llama y al momento entran hombres uniformados que te llevan afuera. Serás un objeto de estudio durante los próximos años. Has perdido tu libertad para siempre.

FIN

—¿Un político? ¿Qué es eso? —preguntas.

La persona carraspea y tartamudea. Después la persona empieza a hablar.

—Un político sirve al pueblo y lo ayuda a hacer elecciones justas. ¡Somos muy, muy, muy IMPORTANTES! Porque sin nosotros no habría problemas. Yo, yo creo que sin nosotros los problemas no parecerían tan grandes. Yo... yo creo, bueno, yo creo que creamos más problemas que los que resolvemos y por eso tenemos que estar en la oficina porque alguien tiene que resolverlos.

El político comienza a sonreír. Actúa muy amistosamente y dice:

—Eh, espere un minuto. Usted es de otro planeta. Nos haremos famosos, usted y yo. Piénselo. El mundo entero querrá verlo y oírlo. Seré su mánager. Nos haremos ricos.

Tienes que marcharte de allí tan rápidamente como puedas. No quieres una participación en esa estrafalaria exhibición. Pero cuando tratas de marcharte te bloquea el camino y quedas atrapado. Quedas en la Tierra como una curiosidad del espacio exterior.

FIN

106 Te acuerdas de un arma secreta que te dieron antes de que dejaras la nave de investigaciones. Es un arma intergaláctica que retarda el tiempo. Cuando se la hace funcionar cesa todo movimiento. No lastima a nadie y basta frenarla para que vuelva el movimiento. Pones en actividad el aparato y desarmas a los dos bandos. Entonces programas el futuro dando un salto hasta un sitio en el tiempo donde sea posible la paz. Es fantástico pasear entre esas gentes que parecen estatuas y que de pronto cobran vida otra vez y preguntan por el nuevo mundo. En realidad han olvidado el pasado y pueden empezar nuevamente.

FIN

Los piratas en todas las épocas y lugares se han apoderado de cuanto han podido. No hacen diferencias cuando roban, ya se trate de un buque, de un aeroplano o de una nave espacial. Los piratas viven al margen de la sociedad; deben ser desterrados.

Tú y tu grupo de piratas están rodeados por las naves del Cuerpo Gobernante del Universo. Son deportados a una oscura y distante galaxia y vigilados por tropas del universo. Los días de pirata han terminado.

FIN

    ¡Qué interesante es ser pirata! Se pasa una buena vida, y la caja del tesoro en la nave espacial está desbordante del dinero del Cuerpo Gobernante del Universo.

    Pero un día interceptas un mensaje radial. El Cuerpo Gobernante del Universo anuncia que el dinero ha perdido su valor y no puede ya ser usado. Se ha puesto en práctica un sistema para adquirir comida, ropa o vivienda que no necesita usar la moneda. Has terminado como pirata.

FIN

El futuro de la vida en la Tierra es como para pre-ocupar. Cualquier cosa puede suceder. Integras un grupo de alrededor de sesenta personas, todas jóvenes y sanas. Te dicen que ese grupo selecto está a punto de marcharse para encontrar otro planeta donde vivir. La Tierra está superpoblada, altamente contaminada y es peligrosa. Guerras, hambre y enfermedades la han vuelto inhabitable. Tú realmente no lo crees, pero todos parecen formales y sinceros.

Después llega una gran nave espacial. Ustedes suben a ella y se lanzan al espacio. Todo resulta muy familiar para ti. Ésta es la forma en que comenzaste en una aeronave que viajaba entre galaxias. Está empezando todo de nuevo. ¿Las aventuras no tendrán fin nunca?

FIN

110   ¿De modo que la Tierra era insoportable para ti? Quisiste escapar, ¿no es cierto? ¿Hacia dónde ahora? ¿A qué galaxia? ¿Cuándo? Tú tienes la elección. Tal vez vuelvas al principio.

FIN

Una operación de limpieza es exactamente eso. Al no encontrar criaturas vivientes se equipan varias naves de transporte con aparatos láser que limpiarán toda la región de bacterias con vida. Es una solución drástica porque el láser elimina la vida en todas sus formas. Pero ha sido ordenado el operativo. No tienes elección, sólo te queda llevarlo a cabo.

FIN

112 El pasado a menudo tiene conocimientos y soluciones que el presente ha olvidado. Examinas los bancos de informes de las computadoras de algunas naves. Siempre hubo plagas parecidas, y descubres una supuesta cura. Se usó en un remoto planeta, casi desierto. Requiere el sacrificio del diez por ciento de la población. Se supone que el holocausto aplacará a los dioses enfurecidos. Por supuesto que los axlianos no lo consintieron. ¿Quién lo aceptaría?

No hay cura, pues. La fiebre tendrá que seguir su curso.

FIN

¿Cómo convencer a un pueblo para que detenga la contaminación en su planeta cuando ellos lo han hecho durante tanto tiempo?

Tal vez es una tarea imposible.

FIN

114   Tú y tu equipo son transportados de nuevo a la nave de investigaciones para presentar su informe.

"Estamos convencidos que la Corte Galáctica, con la tutela del Cuerpo Gobernante del Universo, debería enviar un equipo de policía para obligar a Axle a efectuar reformas. Pero eso es más fácil decirlo que hacerlo. Sería interferir los derechos de un planeta independiente. ¿Podemos acaso decirles cómo deben vivir? Sólo están haciéndose daño a sí mismos."

La Corte Galáctica examina tu informe y tu recomendación y dice que no hay nada que ella pueda o quiera hacer. Axle tendrá que resolver sus propios problemas.

FIN

¡Increíble! El Cuerpo Gobernante del Universo ha enviado a Axle fuerzas policiales en naves patrulleras. Tú y tu estación de investigaciones se ven forzados a desembarcar y a mantener a los axlianos en una permanente cuarentena. ¡No hay cura!

FIN

116 ¡Asombroso! ¡Increíble! El pueblo de Axle está mejor. La fiebre ha desaparecido. Todos te reciben con gran alegría. El remedio para la fiebre es sencillo: completo reposo a la luz de las tres lunas de Axle durante tres semanas, con comida liviana y líquidos moderados. Simple, antiguo y efectivo. Estás curado y te espera el futuro.

FIN

ACERCA DEL AUTOR

R. A. Montgomery es educador y editor del periódico Vermont Crossroads Press, por él fundado en 1974. Graduado en el Williams College, la Divinity School de la Universidad de Yale, y la Universidad de Nueva York (en Economía de Desarrollo).

Ejerció diversos cargos administrativos en la Williston Academy de la Universidad de Columbia, y posteriormente fundó la Waitsfield Summer School en 1965, de la cual fue rector por tres años.

En 1968 creó una institución dedicada a la investigación y el desarrollo y trabajó varios años como asesor del Cuerpo de Paz en Washington D.C. y en Africa Occidental, tomando a su cargo el entrenamiento de personal en el extranjero.

ACERCA DEL ILUSTRADOR

Paul Granger es un ilustrador y reconocido pintor, galardonado con diversos premios por su obra artística.